うゐのおくやま
けふこえて
あさきゆめみし
ゑひもせす
ん

八助《はちすけ》の寺子屋日記《てらこやにっき》

その一話《いちわ》

飯野和好・作

八助《はちすけ》は江戸《えど》の
裏長屋《うらながや》に住《す》む
九才《きゅうさい》の男《おとこ》の子《こ》です
今日《きょう》も元気《げんき》に
寺子屋《てらこや》(今《いま》の学校《がっこう》)に
通《かよ》います
先生《せんせい》のことをお師匠《ししょう》さま
生徒《せいと》のことを寺子《てらこ》と
いいます
場所《ばしょ》は町内《ちょうない》の
お寺《てら》の一室《いっしつ》です
七《しち》・八才《はっさい》から十三才《じゅうさんさい》
くらいまでの子《こ》たちが
五年《ごねん》ほど皆《みな》一緒《いっしょ》に
読《よ》み書《か》きそろばん
行儀《ぎょうぎ》作方《さほう》などを
学《まな》びます

さて
そのお師《し》匠《しょう》さまは
清《し》水《みず》文《ふみ》晴《はる》五郎《ごろう》佐《ざ》衛門《えもん》という
浪人《ろうにん》のお侍《さむらい》です
「おはようございます
お師《し》匠《しょう》さま」
「おお、八助《はちすけ》
今日《きょう》も元《げん》気《き》がよいのう」
「おはようございます」
「おはようございます」
ほかの寺《てら》子《こ》たちも
通《かよ》って来《き》ました

ガタン！
バタン！
「やいっ
おいらの筆《ふで》入《い》れ
けったな！」
「てやんでいっ
そんなところに
置《お》いてちゃ
じゃまだい！」
「なにいっ！」

「こらこら
こらこら
熊《くま》吉《きち》に嘉《か》吉《きち》
よさぬか
おまえたちはいかんぞ、
しばらく
廊《ろう》下《か》で
立《た》っていなさい！」

「エヘヘヘ」
お線香《せんこう》と
大《おお》きなお椀《わん》に
水《みず》を入《い》れたのを
持《も》って立《た》たされます
「さ、まず最初《さいしょ》に
いろはと書《か》いて
文字《もじ》を覚《おぼ》えましょう
文字《もじ》を覚《おぼ》えた子《こ》は
文《ぶん》を書《か》きましょう
大《おお》きな子《こ》たちは
そろばんを使《つか》って
計算《けいさん》を覚《おぼ》えましょう

八助《はちすけ》は
お父《と》っあん
おっ母《か》さんに
買《か》ってもらった
天神机《てんじんづくえ》の上《うえ》に
硯《すずり》を置《お》いて
墨《すみ》をすり
始《はじ》めました

八助《はちすけ》は
墨《すみ》の匂《にお》いが
大《だい》好《す》きです

筆《ふで》にたっぷり
墨《すみ》をふくませて
お師《し》匠《しょう》さまの
お手《て》本《ほん》の字《じ》をよく見《み》て
一生《いっしょう》懸《けん》命《めい》書《か》きました
「お師《し》匠《しょう》さま
漢《かん》字《じ》がむずかしいや」
「うむ
そのむずかしいのを
何《なん》度《ど》も何《なん》度《ど》も
書《か》いて覚《おぼ》えるのが
楽《たの》しいのじゃ」

八助《はちすけ》は
寺子屋《てらこや》に通《かよ》い始《はじ》めて
たくさんの
友《とも》だちができました
同《おな》じ歳《とし》の
熊《くま》吉《きち》　嘉《か》吉《きち》
ことり　矢《や》八《はち》
二《ふた》つ歳《とし》下《した》の
しん太《た》　平《へい》吉《きち》
おちよ

三《みっ》つ歳上《としうえ》の
新二郎《しんじろう》
大二郎《だいじろう》
さゆり
おしの
たちです

「お師《し》匠《しょう》さま
おしっこ」

「うむ、しん太《た》
早《はや》く行《い》ってきなさい
これ、熊吉《くまきち》に嘉吉《かきち》
もう机《つくえ》に戻《もど》ってよいぞ
線香《せんこう》の火《ひ》を
よく消《け》してな
これからは
喧嘩《けんか》はいかんぞ
よいな」
いろはに
ほへと

ホーホケキョ
ホーホケキョ
うぐいすが鳴《な》き始《はじ》めました
ポクポクポクポク
〜なーむーなーむーなーむ〜
和尚《おしょう》さんのお経《きょう》の声《こえ》と
木魚《もくぎょ》の音《おと》が
のんびり聞《き》こえてきます
お昼《ひる》休《やす》みになりました
しん太《た》たち小《ちい》さい子《こ》は
午前中《ごぜんちゅう》までです
あとの子《こ》たちは
一度《いちど》家《いえ》にお昼《ひる》ごはんを
食《た》べに行《い》きます

八助《はちすけ》はお腹《なか》いっぱい
食《た》べたので
お昼《ひる》休《やす》みのあとも
まだ満腹《まんぷく》！
習字《しゅうじ》をしながら
トロトロトロ
ふあ〜〜〜〜っ

「これ八助《はちすけ》
いねむりはいかんぞ
いねむりは〜〜
ふあ〜〜〜っ」
ほへと

「ああっ！
お師匠《ししょう》さまに
あくびがうつったあ！」
「あ、いやいやいやいや
これはあくびではない
深《しん》呼《こ》吸《きゅう》じゃ
深《しん》呼《こ》吸《きゅう》」
「へへっ？」
「ハッハハハハ」
ホーホケキョ

パチパチ
パチパチ
「えー
五《ご》文《もん》なーり
六《ろく》文《もん》なーり
パチパチ
十《じゅう》六《ろく》文《もん》なーり
二十《にじゅう》文《もん》では?」
そろばんの得《と》意《い》な
新《しん》二《じ》郎《ろう》が
計《けい》算《さん》を教《おし》えます

パチパチ
パチパチ
ホーホケキョ
ケキョ　ケキョ
ケキョ
ケキョ
ケキョ

八《や》ツ《っ》時《どき》(午《ご》後《ご》二《に》時《じ》頃《ごろ》)に
なりました
「お師匠《ししょう》さま
さようならー」
「さようならー」
「うむ、さようなら
皆《みんな》気《き》をつけて
帰《かえ》るのじゃぞ」
「はーい」

女《おんな》の子《こ》たちは残《のこ》って
お師匠《ししょう》さまの
奥《おく》さまに
お裁縫《さいほう》を習《なら》って
帰《かえ》ります

「ただいまあー」
「おお、八《はち》帰《かえ》ったか」
「おかえり
今日《きょう》はどうだった？」
「うん、今日《きょう》も
またひとつ
書《か》けたよ
「うぐいす鳴《な》いて
春《はる》歌《うた》う
木魚《もくぎょ》ポクポク
大《おお》あくびー
ってね」

「ええっ！
木魚《もくぎょ》、大《おお》あくび？」
「うん、そこは
おいらが
考《かんが》えたんだけどね」
「おやまあ！」
「まあ　いいやな
おう
団子《だんご》があるから
喰《く》いいな」
「わあーい」

八助《はちすけ》は
家《いえ》に帰《かえ》ると
机《つくえ》に向《む》かって
習《なら》った文字《もじ》で
文《ぶん》を
書《か》き始《はじ》めました
半紙《はんし》を二《ふた》つに折《お》って
重《かさ》ねて本《ほん》の形《かたち》にして
いろいろ自分《じぶん》の
思《おも》いつくまま
今日《きょう》あった
出来事《できごと》などを

お話《はな》しするように
絵《え》も入《い》れて
書《か》きました

「お、いか、か、あ
見《み》てみなよ
八《はち》のやつすごいぜ
絵《え》草《ぞう》子《し》(物語《ものがた》りの本《ほん》)
みたいのを
書《か》いてるぜ！」

「まあ、
本当《ほんとう》だねえ！
やっぱり寺子屋《てらこや》は
ありがたい
ねえ」

それから
しばらくしたある日《ひ》
日《ひ》頃《ごろ》習《なら》った
文《も》字《じ》や文《ぶん》をまとめて
お師《し》匠《しょう》さまに
見《み》てもらう日《ひ》が
やって来《き》ました
「おはよう八《は》っちゃん」
「あ・ことりちゃん
おはよう」
「八《は》っちゃん
お師《し》匠《しょう》さまに
見《み》てもらうの
どんななの？」

「うん、これだよ」

「わあ、すごいじゃない
八《は》っちゃん
すごいじゃない！」

「えへへ
ありがとう
ことりちゃんのは？」

「うーん、
わたしのは これだけ」

「ふーん
上手《じょうず》な字《じ》だね！」

「ありがとう」

「皆《みんな》よく
まとめて来《き》たのう
えらいぞ
お、八助《はちすけ》
これは本《ほん》に
なっているではないか！
うむ、
漢字《かんじ》も良《よ》いぞ
絵《え》も描《か》いたのか
話《はな》しも面白《おもしろ》いな！
まるで
絵草子《えぞうし》のようじゃな
みごとじゃ！」

八助《はちすけ》は
お師匠《ししょう》さまに
ほめられて
胸《むね》がドキドキ
しました

家《いえ》に帰《かえ》って
お父《と》っつあん お母《か》さんに
話《はな》すと
すごく喜《よろこ》んで
くれました
「おーい八《はち》ー、
遊《あそ》ぼうぜー」
寺《て》子《こ》屋《や》の仲間《なかま》たち
です
「おうっそれっ!」
巻《ま》き貝《がい》に鉛《なまり》をつめた
貝《べい》独楽《ごま》で
遊《あそ》びます

あと馬《うま》乗《の》りごっこや
鬼《おに》ごっこをして
長《なが》屋《や》の中《なか》の
稲《いな》荷《り》神《じん》社《じゃ》の空《あき》地《ち》で
思《おも》いっきり
遊《あそ》びました

「八《はち》ー、
夕《ゆう》ごはんよー」
お母《かあ》さんの声《こえ》が
しました
「はーーーい」

ごーーん

あとがき

この度は「寺子屋」の絵本です。私は江戸時代が大好きですから、
このお話を頂いた時は本当にうれしかったですね。そしてすぐに物語を作り始めました。
主人公は、長家に住む八助という九才の男の子。
文を書いたり絵を描いたりするのが大好きな子にしよう。そして仲間たち。
そうだ、お師匠さま（今の先生）は、私の小学三年生の時の担任だった
あの顔の長いお話好きの清水先生にしようと、キャラクターもすぐに決まりました。
寺子屋は、寺子（生徒）たちが使う机（天神机）は皆持ち込みだったこと、
叱られたときの廊下の立たされ方や、女の子たちだけが帰りにお裁縫を習っていること、
今とはだいぶちがい興味深いですね。
でも、いつの時代も子どもたちは元気でやんちゃに勉強をしていますね。

飯野和好

学校がもっとすきになるシリーズ

八助の寺子屋日記　その一話

2023（令和5）年10月30日　初版第1刷発行

作　飯野和好
発行者　錦織圭之介
発行所　株式会社 東洋館出版社
〒101-0054
東京都千代田区神田錦町2丁目9番1号
コンフォール安田ビル2階
代表　電話 03-6778-4343 ／ FAX 03-5281-8091
営業部　電話 03-6778-7278 ／ FAX 03-5281-8092
URL　https://www.toyokan.co.jp
振替　00180-7-96823
装丁　小口翔平＋阿部早紀子（tobufune）
印刷　精興社
製本　東京美術紙工協業組合

ISBN 978-4-491-05298-4　NDC913

【作者紹介】

飯野和好（いいのかずよし）

絵本作家・イラストレーター。神奈川県在住。
1947年埼玉県秩父に生まれる。生家の農家の様子は『むかでのいしゃむかえ』（福音館書店）に、子ども時代の体験は『ハのハの小天狗』（ほるぷ出版）に描かれている。雑誌「an・an」の「気むずかしやのピエロットのものがたり」でデビュー、数々の作品を発表しつづけている。「小さなスズナ姫」シリーズ（偕成社）で第11回赤い鳥さし絵賞、『ねぎぼうずのあさたろう その1』（福音館書店）で第49回小学館児童出版文化賞、『みずくみに』（小峰書店）で第20回日本絵本賞、『ぼくとお山と羊のセーター』（偕成社）で第70回産経児童出版文化賞タイヘイ賞を受賞。「ねぎぼうずのあさたろう」シリーズはテレビアニメ化され、第13回文化庁メディア芸術祭審査委員会推薦作となった。
近作には、自叙伝『人生はチャンバラ劇』（パイ インターナショナル）も。
絵本の読み語り講演で、全国を股旅姿で渡り歩いている。

【参考文献】

小林忠、中城正堯『江戸子ども百景』
（河出書房新社、2008）

いろはに
ほへと
ちりぬるを
わかよたれそ
つねならむ